La princesse
aux trois pieds

de Bernard Friot
illustré par Olivier Balez

CHAPITRE 1

La princesse Élastique était une jeune fille fort sympathique. Et très dynamique. Elle adorait la gymnastique, la musique, la botanique, les mathématiques, la physique, l'électronique, l'acoustique et l'informatique. Elle s'était fait installer un atelier dans une tour du château et elle bricolait toutes sortes de machines fantastiques.

Elle avait juste un petit défaut : elle était un peu excentrique, assez colérique et parfois, même, volcanique !

Quand elle eut seize ans, son père décida qu'il était temps de la marier. Sans lui demander son avis, il envoya des messages électroniques à ses collègues des royaumes voisins. Il invitait les princes, les ducs et les marquis à participer à une épreuve de sélection du futur époux. Au jour fixé, des dizaines de prétendants se pressèrent aux portes du château. Le Premier ministre les fit entrer dans la grande salle de bal. On avait dressé une estrade et installé

des projecteurs, des caméras et des micros. La cérémonie devait être retransmise en direct sur écran géant dans la cour du château. Les habitants du royaume, qui aimaient beaucoup Élastique, attendaient avec impatience le début des opérations.

Quand tout fut prêt, le roi et la reine allèrent chercher leur fille. En entrant dans sa chambre, ils furent accueillis par les lamentations des servantes.

– Que se passe-t-il ? demanda le roi.

Une servante lui montra la princesse assise sur son lit. Tout d'abord, le roi crut que ses lunettes lui jouaient un mauvais tour. Il les ôta, les nettoya et les replaça sur son nez.

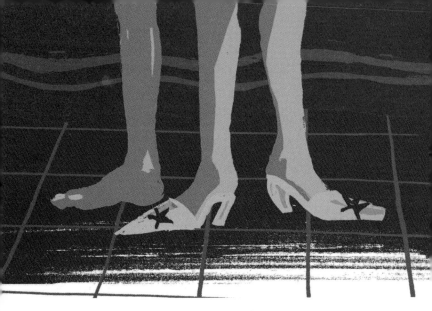

6   Non, il ne s'était pas trompé. Sa fille avait enfilé ses deux souliers. Et pourtant, elle avait un pied nu !

Le roi compta : un, deux, trois. Pas de doute, sa fille avait trois pieds ! Il balbutia :

– Mais… mais… mais…

– Effectivement, c'est étrange, dit la reine. Hier, quand nous sommes allées lui acheter des baskets, ma fille n'avait que deux pieds !

– C'est arrivé brusquement, expliqua Élastique. J'ai découvert ça en me réveillant. Ce n'est pas très esthétique, d'accord, mais c'est rudement pratique !

Et après avoir emprunté une chaussure à la reine, elle improvisa un numéro de claquettes absolument étourdissant.

– Mais qu'est-ce qu'on va faire ? se lamenta le roi. Avec tous les prétendants qui nous attendent en bas ? Qu'est-ce qu'on va faire ?

– Je vais lui prêter une robe longue, dit la reine, et personne n'y verra rien.

Ainsi fut fait. Les servantes habillèrent Élastique avec une magnifique robe garnie de dentelle. Quelques minutes plus tard, elle fit son entrée dans la grande salle de bal.

CHAPITRE 2

On appela le premier prétendant, un petit bonhomme aux yeux ronds, vêtu d'un pull trop court couvert de taches de chocolat. Il s'avança, fit une révérence ridicule et tourna le dos à la princesse, comme l'exigeait la politesse dans le pays d'Élastique. Puis il se présenta :

– Je m'appelle Alain-Aurélien-Damien-Félicien-Sébastien, prince de Chambertin. Je suis fabricant de shampooings, je prends un bain chaque matin, je cultive le jasmin et le romarin, je parle latin, alsacien et transsibérien…

Le prince Alain-etc. n'alla pas plus loin.

Un formidable coup de pied le souleva et le propulsa jusque dans l'étang du château. Il fallut faire appel aux hommes-grenouilles pour le repêcher.

La reine fit semblant de se moucher pour cacher son fou rire. Mais le roi était furieux. Rouge de colère, il hurla à sa fille :

– J'ai tout vu ! C'est toi qui lui as donné un coup de pied.

– Je suis désolée, Papounet, répondit Élastique en baissant les yeux. C'est mon troisième pied qui est parti tout seul quand ce crétin a débité son baratin. Dès le premier mensonge, j'ai senti mon pied s'agiter et je n'ai pas pu le retenir.

– Je te pardonne pour cette fois, grommela le roi. Mais que cela ne se reproduise plus, tu m'entends !

Élastique haussa les épaules, le roi reprit sa place et l'on fit avancer le deuxième prétendant.

CHAPITRE 3

Le deuxième prétendant était grand, maigre et presque chauve. Il portait une veste en similicuir et ses pantalons étaient retenus aux chevilles par des pinces à vélo. Il fit une révérence très réussie, puis tourna poliment le dos à la princesse et se présenta :

– Je m'appelle Abélard-Edgar-Gaspar-Léonard-Zigomar, duc de Pommard. Je suis propriétaire d'un grand bazar, je roule en Jaguar, je fume des cigares, je possède plusieurs milliards, je suis champion olympique de billard…

Le duc Abélard-etc. n'alla pas plus loin.

Un formidable coup de pied le souleva de terre et le propulsa dans un lustre qui se mit à balancer dangereusement. Il fallut faire appel aux pompiers pour descendre le malheureux et le sortir sur un brancard.

Le roi se leva pour flanquer une gifle à sa fille. Mais Élastique détala à toutes jambes (trois exactement), et le roi ne put la rattraper. Quand il fut calmé, Élastique expliqua :

– Je n'y peux rien, Papounet. C'est mon pied. Il est parti tout seul dès que ce vantard a commencé ses bobards.

– C'est peut-être un pied magique, intervint la reine. Un pied qui détecte les mensonges.

Le roi marmonna :

– Magique ou pas, arrange-toi pour qu'il reste tranquille ! Il faut qu'on te trouve un mari avant ce soir ! Élastique soupira, le roi se rassit sur son trône. Le Premier ministre annonça le troisième prétendant.

Le troisième prétendant atterrit sur un tas de fumier. Le quatrième dans un champ d'orties. Ce fut le dix-huitième qui parcourut la plus grande distance. Il atterrit sur une antenne de télévision, à trois kilomètres du château : c'était lui aussi qui avait débité les plus gros mensonges.

En moins de deux heures, tous les candidats au mariage furent expédiés dans la nature et la princesse se retrouva sans fiancé.

Le roi piqua une colère épouvantable. Mais comme c'était, malgré tout, un bon papa, il se calma et pardonna à sa fille.

– Dans six mois, grogna-t-il, je fais venir de nouveaux prétendants. Et cette fois-ci, tu n'y échapperas pas !

CHAPITRE 4

Pendant ces six mois, la vie ne fut pas très agréable au château. Tout le monde se méfiait d'Élastique, car, dès qu'un imprudent avait le malheur de dire un mensonge, même un tout petit, paf! un coup de pied l'expédiait sur un poteau électrique ou dans la mare aux canards.

Un soir, la reine demanda au roi ce qu'il avait fait dans la journée. Le roi avait passé son temps à jouer aux cartes avec le Premier ministre. Il prit un air gêné :

– Eh bien, voyons, hmm, j'ai rangé mon bureau... et puis, j'ai... j'ai rédigé mon courrier... et... euh... j'ai fait ma déclaration d'impôts!

Paf ! un formidable coup de pied le souleva de terre et l'expédia au fond d'un puits.

C'en était trop ! Le roi fit enfermer Élastique dans son atelier d'électronique avec interdiction absolue d'en sortir. À vrai dire, cela ne la dérangeait guère : elle pouvait à loisir inventer toutes sortes de machines très perfectionnées.

Un jour, on frappa à la fenêtre de l'atelier. Un jeune homme aux grands yeux noirs étonnés lui faisait signe d'ouvrir. Élastique s'approcha et ouvrit la fenêtre.

– Salut, dit le jeune homme. Je m'appelle Lilo et je suis laveur de carreaux. Dites donc, c'est rudement sale chez vous !

Effectivement, l'atelier n'était pas un modèle de propreté. Mais Élastique s'y trouvait bien et elle répondit fort sèchement :

– Gardez vos réflexions pour vous, et dépêchez-vous de nettoyer mes carreaux, demi-portion de fromage mou !

– Oh, oh, mademoiselle mal peignée, répondit Lilo, je fais ce qui me plaît et j'ai horreur d'être bousculé !

Élastique bouillait intérieurement. Ah, si elle avait pu lui décocher un bon coup de pied et l'expédier à cent kilomètres d'ici, cet effronté, ce malpoli !

Mais il disait la vérité : elle était très mal peignée, ce matin-là, et habillée n'importe comment.

Pour l'impressionner, Lilo se mit à se balancer sur sa nacelle de laveur de carreaux. Il s'élançait de plus en plus haut et gardait son équilibre sans se tenir aux cordes. Il avait l'air très fier de lui.

Élastique fit la moue et lui tourna le dos en le traitant de petit rat prétentieux. Lilo, vexé, lui versa un plein seau d'eau sur la tête, puis s'empressa de disparaître.

23

CHAPITRE 5

Cet après-midi-là, Élastique ne put travailler à ses inventions. Impossible de penser à autre chose qu'à ce maudit laveur de carreaux. Elle tournait en rond dans son atelier en marmonnant des injures épouvantables. Puis, brusquement, elle s'asseyait, se prenait la tête dans les mains et soupirait.

Le lendemain, dès l'aube, elle s'habilla avec soin, peigna ses cheveux fous et rangea l'atelier. Elle donnait même un coup de balai quand Lilo apparut à la fenêtre.

Il avait son plus beau costume et avait vidé un pot de gel sur ses cheveux. Au début, les deux jeunes gens ne surent quoi se dire.

Enfin, Lilo se lança :

– Euh, euh, balbutia-t-il, vous avez… euh… tu as une chouette robe. C'est vous… euh… c'est toi qui l'as faite ?

C'était la dernière chose à dire, car Élastique avait horreur de la couture !

– Espèce de vermisseau ridicule, s'écria-t-elle, tremblante de colère, tu t'imagines sans doute que les filles ne sont bonnes qu'à repriser des chaussettes !

Lilo devint rouge comme une tomate. Pour se venger, il aspergea Élastique de produit pour laver les vitres.

Élastique, folle de rage, s'empara d'un fer
à souder et Lilo comprit qu'il avait intérêt
à disparaître dans les plus brefs délais.

Le lendemain, cependant, il était là dès le petit
matin. Élastique l'attendait. Deux minutes
plus tard, ils s'insultaient et se bagarraient.

Et il en fut ainsi tous les jours. Dès qu'ils
se voyaient, une remarque désagréable leur
échappait, et la dispute commençait. Pourtant,
dès qu'ils se quittaient, l'un et l'autre ne
pensaient plus qu'à leurs retrouvailles.

CHAPITRE 6

Au bout de six mois, le roi fit une nouvelle tentative pour dénicher un mari à sa fille. Afin d'être sûr de trouver des candidats, il envoya des messagers à l'autre bout du monde, dans des royaumes où personne n'avait entendu parler du pied frappeur de la princesse Élastique.

Au jour fixé, une dizaine de prétendants se rassemblèrent devant le château. Le premier se présenta en se vantant effrontément et… se retrouva catapulté en haut d'une cheminée d'usine. Le deuxième s'inventa mille qualités imaginaires et fut expédié sur un tas de charbon. Ainsi de suite jusqu'au dernier.

Le roi fit une scène épouvantable à sa fille.

– Mais qu'est-ce que je vais faire de toi? hurla-t-il. Faut-il que j'aille sur la lune pour te trouver un mari?

À cet instant précis, on frappa à l'une des fenêtres de la salle. C'était Lilo, le laveur de carreaux. Il descendit de sa nacelle, traversa la salle d'un air résolu et s'inclina devant le roi.

– Majesté, dit-il, je ne suis ni prince ni marquis mais je désire épouser votre fille.

Le roi se gratta le menton, soupira et dit :

– Tu sais ce qui t'attend si tu ne dis pas la vérité?

– Ce qui doit arriver arrivera, répondit Lilo.
Il fit une révérence, tourna le dos à la princesse et déclara :

– Je suis une demi-portion de fromage mou, un petit rat prétentieux, une espèce de vermisseau ridicule…

– Lilo, arrête, s'écria Élastique, je t'en supplie ! Ce n'est pas vrai, Lilo, je le jure, ce n'est pas ce que je voulais dire…

Trop tard ! Un formidable coup de pied catapulta Lilo à travers la salle de bal et l'expédia loin, très loin dans la campagne.

CHAPITRE 7

Lilo n'était plus qu'un point à l'horizon quand Élastique démarra comme une fusée. Elle dévala les escaliers, franchit d'un bond les fossés emplis d'eau, sauta par-dessus les haies et les barrières, galopa par monts et par vaux en agitant les bras et en criant :

– Lilo, Lilo, fais attention en retombant !

Enfin, au beau milieu d'un champ, elle aperçut Lilo. Il était étendu sur une meule de foin et n'avait l'air ni mort ni blessé. Élastique se précipita dans ses bras, se mit à rire et à pleurer tout à la fois. Lilo, la gorge nouée par l'émotion, était incapable d'articuler un mot. Il la regardait, lui serrait les mains, l'embrassait, puis la regardait encore…

Une heure plus tard, le roi, la reine et leur suite arrivèrent tout essouflés.

– Jeune homme, dit le roi à Lilo, vous avez battu tous les records ! Vous avez parcouru exactement dix-huit kilomètres et cent trente-deux mètres ! Mais j'aimerais bien comprendre pourquoi ma fille vous court après !

– Regarde-les, dit la reine, il n'y a pas besoin d'explications ! Tu n'auras plus de problèmes pour trouver un mari à ta fille !

Le roi regarda les deux jeunes gens et un grand sourire éclaira son visage. Mais soudain,

il fronça les sourcils, se pencha vers la reine et lui chuchota à l'oreille :

– Est-ce qu'il est au courant pour les trois pieds d'Élastique ?

Mais Élastique, qui avait l'oreille très fine, l'interrompit :

– Il faut que je vous avoue quelque chose. Seulement, promettez-moi d'abord de ne pas vous fâcher !

Le roi et la reine promirent.

Alors, Élastique sortit un tournevis de sa poche, souleva sa robe et démonta son troisième pied.

– C'est moi qui l'ai fabriqué, dit-elle, quand Papa a voulu me marier de force. C'est un pied électronique avec détecteur de mensonges incorporé.

La reine éclata de rire. Le roi devint tout rouge, prêt à exploser, mais sa femme lui rappela sa promesse, et il se calma.

– Tu es vraiment un drôle de phénomène, dit-il à sa fille. Je plains ton mari !

le grat grat

Mais le roi se trompait : Lilo n'eut jamais à se
plaindre de son épouse. Élastique continua de
se passionner pour l'électronique et inventa
toutes sortes de machines très utiles : bras
démontables pour se gratter le dos, pieds
spéciaux pour danseuses, pouces... pour se
tourner les pouces, et plein d'autres choses
encore.

Quant à Lilo, il devint champion olympique de saut en longueur. Entre deux entraînements, il s'occupait de leur petite famille : six filles et cinq garçons.

Autrement dit : ils eurent beaucoup d'enfants et furent heureux très longtemps. C'est bien ainsi, n'est-ce pas, que se terminent les contes de fées.

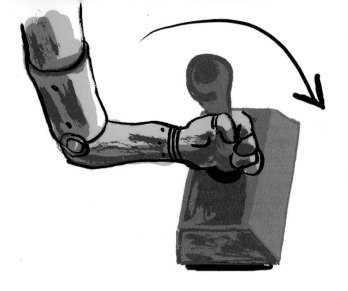

Une première version de ce texte est parue en 1993
dans le magazine *J'aime lire*,
sous le titre *La Princesse Élastique*
© 2006, Éditions Milan, pour la première édition,
sous le titre *La Princesse Élastique*
© 2011, Éditions Milan, pour la présente édition
300, rue Léon-Joulin, 31101 Toulouse Cedex 9 – France
www.editionsmilan.com
Loi 49.956 du 16.07.1949
sur les publications destinées à la jeunesse.
ISBN : 978-2-7459-4982-0
Dépôt légal : 1er trimestre 2011
Imprimé en France par Pollina - L56179a